• La Citadelle Noire •

L'auteur : Marie-Hélène Delval est auteur
de nombreux romans et histoires pour la jeunesse,
publiés aux éditions Bayard Jeunesse, Flammarion…
Pour Bayard, elle est également traductrice
de l'anglais (les séries L'Épouvanteur
et La cabane magique, *L'Aîné*…).
C'est une passionnée de «littérature de l'Imaginaire»
et – bien sûr – de fantasy !

L'illustrateur : Alban Marilleau a étudié
à l'École Supérieure de l'Image d'Angoulême.
Depuis, il illustre des albums, de la bande dessinée,
et travaille pour Bayard Presse.
Ses ouvrages sont notamment publiés
aux éditions Nathan et Larousse. Pour représenter
l'univers magique des dragons de Nalsara,
il s'est inspiré des ambiances qu'il fréquentait
déjà enfant, dans les romans de Tolkien.

© 2010, Bayard Éditions
Dépôt légal : juin 2010
ISBN : 978-2-7470-3022-9
Loi n°49-956 du 16 juillet 1949 sur les publications à destination de la jeunesse.

Imprimé en Allemagne par CPI - Clausen & Bosse

Marie-Hélène Delval

• La Citadelle Noire •

Illustrations d'Alban Marilleau

bayard jeunesse

Les dragons de Nalsara

Cette histoire se passe au royaume
d'Ombrune, sous le règne du roi Bertram.
À deux heures de bateau du port de Nalsara,
la capitale, s'élève l'île aux Dragons.
On l'appelle ainsi car, tous les neuf ans,
deux ou trois dragonnes sauvages
viennent y déposer leur œuf.
C'est là que vit Antos, le Grand Éleveur
de dragons, avec ses enfants, Cham et Nyne.

Cham

Antos

Nyne

Résumé de l'épisode précédent
Sortilèges sur Nalsara

La strige a de nouveau cherché à enlever Cham.
Les magiciennes et messire Onys, le Maître
Dragonnier, décident de garder le garçon à
Nalsara. Il sera en sécurité dans une tour du palais,
grâce aux sorts de protection d'Isendrine et
Mélisande. Un alcyon voyageur est envoyé vers l'île
aux Dragons pour prévenir Antos. Cela n'empêche
pas le Grand Éleveur de se faire du souci pour son
fils ! Quant à Nyne, elle trouve le moyen de com-
muniquer avec son frère : grâce à son miroir, elle
envoie un message sur le cristal-qui-voit.

Au palais, Cham prend sa première leçon de magie,
et le garçon s'avère très doué. Or, la strige ne
s'avoue pas vaincue. Elle tente de nouveau de le
capturer. Les magiciennes le cachent chez Viriana,
la servante qui a élevé sa mère. Hélas ! Au milieu de
la nuit, Darkat, le sorcier, utilise la ruse pour attirer
Cham au-dehors. La strige s'empare du garçon et
l'emporte. Cham se retrouve enfermé dans un
cachot, quelque part au pays des Addraks. Dans
l'obscurité, un visage se penche sur lui, tendre et
familier : celui de Dhydra, sa mère !

Oiseau de nuit

Cham est pris.

D.

Tel est l'effrayant message qu'un doigt invisible a écrit sur le miroir de Nyne. Ce «D.» qui le signe ne laisse aucun doute : l'avertissement vient de Dhydra. Depuis que la petite fille a lu ces trois mots, elle sanglote dans les bras de son père. Antos, désemparé, lui caresse les cheveux en répétant :

– Allons, allons ! Les magiciennes vont intervenir… Et messire Onys, et les dragons… Il n'y a pas de quoi s'affoler.

Quoi qu'il en dise, le Grand Éleveur l'est bel et bien, affolé! Que faire? Au beau milieu de la nuit? En le tirant du lit, Nyne a interrompu un rêve pénible où Dhydra, sa femme, lui criait quelque chose qu'il ne comprenait pas. Essayait-elle de le prévenir en songe? De lui donner un conseil? À moins que… Peut-être lui reprochait-elle de n'avoir pas su protéger leur fils?

Antos finit par retrouver ses esprits. Il s'exclame:

– Voyons, fillette! Il est quatre heures du matin! Tu es sûre de ce que tu racontes? Un ongle qui cogne contre le verre, un doigt qui écrit sur de la buée… Ça ressemble plutôt à une sorte de cauchemar. Tu es inquiète pour ton frère, je le comprends. Néanmoins…

Nyne lui coupe la parole:

– J'étais parfaitement réveillée! Ça s'est effacé tout de suite, mais j'ai très bien lu! Et le miroir ne peut pas mentir.

Son père reprend d'une voix apaisante:

– D'accord. Admettons que tu aies bien

lu. Qu'est-ce qui prouve que ce message venait de ta mère?

Cette question rend Nyne presque furieuse :

—Le miroir a appartenu à maman. Et ce D…

—Quel est le nom du sorcier addrak que vous avez combattu au palais?

—Il s'appelle Darkat, mais…

La petite fille s'interrompt et fixe son père avec des yeux emplis d'effroi :

—Tu crois que ce serait Darkat, qui…

—Je ne crois rien, Nyne, soupire l'éleveur de dragons. Je raisonne, c'est tout. Ta mère aurait-elle écrit un message aussi bref? Ce sorcier cherche peut-être simplement à nous alarmer.

—Pourquoi ferait-il ça?

—Pour que nous paniquions en imaginant ton frère aux mains des Addraks. Et que nous tentions n'importe quoi, quelque chose qu'il pourrait utiliser contre nous. Souviens-toi de la dernière lettre de messire Onys : il te demandait de ne plus utiliser ton miroir, pour ne pas mettre Cham en danger. Suppose que Darkat soit capable de s'en servir…

– Oh! souffle la petite fille.

Alors, le doigt qui écrivait sur le verre du miroir aurait été celui de Darkat? Cette idée l'épouvante: c'est un peu comme si le sorcier avait pénétré dans sa chambre!

Elle réfléchit, les sourcils froncés, puis affirme:

– Non, papa. Non, le message était de maman, je le sens. S'il était aussi court, c'est qu'il n'y a pas beaucoup de place sur un si petit miroir. Ou peut-être qu'elle n'avait pas le temps d'en écrire plus, qu'elle craignait qu'on la surprenne…

À cet instant, un cri rauque, au-dehors, les fait sursauter tous les deux.

– Un alcyon? s'étonne Antos. En pleine nuit?

Ces grands oiseaux qui portent le courrier sont de vaillants voyageurs, mais ils préfèrent voler de jour. On ne les envoie en missions nocturnes qu'en cas d'urgence.

Nyne a déjà couru à la porte. Son père se précipite derrière elle. Un froissement d'aile leur fait lever la tête. Un alcyon est là. Il plane au-dessus de la cour, ses plumes blanches gonflées par le vent. Voyant sortir les deux humains, il se laisse descendre, se pose sur le gravier. À l'une de ses pattes est attaché un tube métallique. Antos s'en empare. Aussitôt, l'alcyon décolle et disparaît dans le ciel noir.

– C'est un message de qui, papa ?

– Nous allons le savoir tout de suite.

Le père et la fille retournent dans la cuisine. Antos ouvre le cylindre. Il déroule le mince papier qu'il contient et lit à voix haute :

Un événement d'importance nous oblige
à vous faire venir au palais, vous et votre fille.
Un bateau quitte le port de Nalsara.
Il arrivera devant l'île avant l'aube.
Soyez prêts à embarquer.
Nous vous envoyons deux jeunes fermiers,
qui s'occuperont de vos bêtes
le temps de votre absence.
Messire Onys, Maître Dragonnier.

– Messire Onys ne parle pas de Cham…, constate la petite fille.

Est-ce inquiétant ou rassurant ? Elle ne sait pas trop. En tout cas, c'est sûr, ce qui se passe est grave. D'une voix hésitante, elle demande :

– Papa, tu crois qu'on va être partis… longtemps ?

On dirait qu'Antos n'a pas entendu. Il continue de fixer le morceau de papier. Au bout de quelques secondes, il répond :

– Je l'ignore, fillette. Habille-toi, et préparons nos bagages.

Les prisonniers

Un jour gris s'est levé sur le territoire des Addraks. Tout en haut d'une tour, dans le cachot où Cham et Dhydra sont enfermés, une faible lumière filtre par l'étroite fenêtre garnie de barreaux. Le garçon dort encore, à plat dos sur la paillasse. Sa mère le contemple en silence. Lorsque la strige a enlevé la jeune femme, son fils avait deux ans. Il en a dix, à présent. Bientôt onze. Il a perdu ses joues rondes de tout-petit, mais Dhydra reconnaît son épaisse chevelure noire, ses longs cils, et cette habitude qu'il avait, bébé, de rejeter un bras derrière la tête en s'endormant.

D'un doigt léger, pour ne pas le réveiller, elle lui caresse la joue. Et des larmes brouillent son regard. Des larmes de bonheur. À cet instant, elle s'accorde le droit d'être heureuse. Elle a tant douté de revoir un jour son mari et ses enfants ! Or, Cham est là, son petit Cham… Certes, ils sont tous deux aux mains des Addraks. Mais, qui sait… ? Son fils et sa fille ont hérité de ses dons. Ils deviendront des magiciens puissants. Oui, qui sait ? Avec Cham à ses côtés, elle réussira peut-être à échapper aux Addraks ? À prévenir les dragons des noirs projets des sorciers ?

– Maman ?

Le garçon a ouvert les yeux. Son regard étonné fait le tour du cachot, revient à sa mère. Alors, il se souvient : son enlèvement nocturne, la nuée sinistre qui l'a transporté à travers les airs à une vitesse surnaturelle, sa tentative désespérée pour se libérer, le visage ricanant de Darkat, le sorcier…

Cham s'assied et se serre contre la jeune femme :

– Oh, maman… J'ai été stupide ! Je me suis laissé prendre à la ruse de la strige. Et, maintenant…

Il n'ose pas en dire plus. Les paroles d'Isendrine et Mélisande lui reviennent en mémoire : « Les Addraks ont l'intention de te capturer pour obliger ta mère à les servir ; ils mijotent quelque sinistre projet. » C'est terrible ! Maintenant, à cause de lui, Dhydra sera peut-être forcée de céder aux Addraks. Ils veulent qu'elle appelle des dragons ; ils les contraindront à combattre les armées du roi Bertram. Face à des dragons soumis à la magie noire des sorciers addraks, le royaume d'Ombrune aura beaucoup de mal à se défendre…

Éloignant doucement son fils de sa poitrine, Dhydra plonge ses yeux dans les siens :

– Écoute-moi, Cham ! Nous sommes deux, à présent. Deux à *leur* résister. Pour cela, nous allons entamer ton entraînement de magicien. Tout de suite !

−Oh, fait le garçon, mon entraînement a déjà commencé! Isendrine et Mélisande m'ont appris… Tiens! Il n'y a pas beaucoup de lumière, dans ce cachot. Eh bien, regarde!

Cham saute sur ses pieds. Il se concentre, inspire profondément et lâche:

−*Brilill'iol!*

Une nuée de lucioles se met aussitôt à tourbillonner sous la voûte de pierre. Elle se

rassemble en une sphère lumineuse et reste ainsi, suspendue dans les airs, répandant une agréable clarté.

– Tu vois ? fait le garçon, triomphant.

Dhydra esquisse un sourire :

– C'est une formule très utile, Cham. Cependant, pour résister aux redoutables sorciers addraks, tu auras besoin de sortilèges d'un autre genre ! Tu devras aussi apprendre à contrôler tes forces, car plus un sort est puissant, plus il exige de l'énergie.

– C'est vrai, reconnaît le garçon. Quand la strige m'a enlevé, j'ai fait apparaître une épée et j'ai réussi à fendre la nuée. Mais, quand j'ai lancé « *Fennas !* » pour avoir des ailes, ça n'a pas marché. La strige m'a rattrapé, heureusement ! Sinon, je m'écrasais au sol. Au fond, cette affreuse créature m'a sauvé la vie…

Dhydra dévisage son fils, songeuse :

– Je constate que tu as déjà un peu d'expérience. En ce cas, nous…

Soudain, elle s'interrompt, lève la main pour signaler à Cham de se taire. Les yeux mi-clos, elle écoute attentivement, puis chuchote :

– On vient ! Je reconnais le pas de Darkat.

– Darkat ? Oh… ! gémit Cham.

Lui, il a beau tendre l'oreille, il n'entend rien. Mais, à l'idée de se trouver de nouveau confronté au jeune sorcier, le cœur du garçon s'affole dans sa poitrine.

Lorsqu'une clé tourne dans la serrure, Dhydra ordonne à voix basse :

– Éteins !

Cham reste stupide : éteindre quoi ?

– Les lucioles ! C'est toi qui les as convoquées, c'est toi qui dois les renvoyer !

L'apprenti magicien se souvient alors de sa première leçon : pour éteindre la boule lumineuse, « c'est très simple ! Il suffit de souffler dessus ! » Il souffle. À l'instant où la lourde porte tourne sur ses gonds, de minuscules étincelles voltigent en tous sens et s'éteignent une à une.

Quand Darkat franchit le seuil, seule la clarté grisâtre du matin éclaire vaguement le cachot.

Révélation

Dhydra a entouré son fils d'un bras protecteur, et Cham sent la main de sa mère lui presser l'épaule comme pour lui signifier : « Ne crains rien, je suis là. » Néanmoins, le garçon ne peut s'empêcher de frémir en voyant le sorcier entrer : désormais, il est à sa merci !

– Eh bien, fait Darkat avec un sourire ironique, nous voici en famille !

À ces mots, Cham tressaille. Son regard passe du jeune homme à sa mère. Ces cheveux si noirs, cette peau si blanche…

Il est soudain frappé par leur extraordinaire ressemblance. Lorsqu'il a vu Darkat pour la première fois, à la Dragonnerie royale, il lui a semblé l'avoir déjà rencontré. Il a aussitôt chassé cette impression : c'était impossible ! Maintenant, son esprit travaille à toute vitesse. Quelques jours plus tôt, Viriana lui a révélé que Dhydra était la fille d'un sorcier addrak. Darkat serait-il… ?

Le visiteur semble avoir deviné les pensées du garçon car il s'adresse à lui :

– Es-tu reposé, mon neveu ?

Cham doit accepter l'évidence : l'homme qui se tient devant lui est le frère de sa mère !

Celle-ci intervient alors. D'une voix calme, elle déclare :

– Oui, Cham. Darkat est mon demi-frère. Eddhor, le sorcier, était notre père à tous deux. On ne choisit pas sa famille… Mais souviens-toi de ce que je t'ai dit cette nuit, mon fils : nous sommes ce que notre cœur veut que nous soyons.

Darkat émet un petit rire faussement amical :

– Allons! Les Addraks ne sont pas des monstres! Il est grand temps, mon neveu, que nous fassions mieux connaissance. J'ai déjà pu apprécier ta hardiesse et tes dons pour la magie. Nous devrions nous entendre.

Avec un mouvement de tête en direction de Dhydra, il ajoute :

– Si ta mère – ma sœur – me le permet, j'aurai plaisir à te guider dans notre citadelle. Tu y verras des choses… étonnantes.

Cette visite intéressera sûrement un jeune magicien comme toi.

Effrayé, Cham recule d'un pas. Il n'a aucune envie de se retrouver dans ces lieux inconnus, seul avec Darkat.

De nouveau, la main de sa mère lui serre doucement l'épaule :

– Va, mon fils. Accompagne ton oncle, puisqu'il te le propose si aimablement. Je suis sûre qu'il y a, en effet, beaucoup à découvrir dans cette imposante forteresse…

La façon dont Dhydra insiste sur les derniers mots alerte le garçon : sa mère vient de lui transmettre un message caché. Visiter la citadelle… Elle-même n'en a jamais eu l'occasion, puisqu'elle est enfermée dans ce cachot. Elle s'en est parfois échappée, c'est vrai, pour se rendre au Château Roc. Mais Otéron, le nicampe, l'a précisé : elle repartait tout de suite, de peur qu'on découvre son absence. Oui, si Cham explore la citadelle, il apprendra des choses très utiles. Des choses qui leur permettront peut-être de résister aux Addraks…

Il pousse un profond soupir pour faire croire à Darkat qu'il accepte à contrecœur et se dirige vers la porte en traînant les pieds. À l'instant de sortir, il lance un coup d'œil à sa mère. En retour, Dhydra bat des paupières. Elle comprend qu'il a compris !

Pendant ce temps, Nyne et Antos voguent vers Nalsara. Accoudés au bastingage, ils regardent s'éloigner l'île aux Dragons.

– Tu vois, papa, dit la petite fille. D'ici, notre île ressemble à une baleine.

La mer est houleuse, un fort vent d'ouest gonfle les voiles. Le navire tangue. Nyne remarque :

– Si Cham était là, il aurait encore le mal de mer.

– Le mal de mer ? s'étonne Antos. Il est vrai qu'il ne veut pas être marin, mais dragonnier. J'espère pour lui qu'il n'a pas le mal de l'air !

Ils rient tous les deux, et Nyne se sent un peu mieux. Depuis le moment où ils ont préparé leurs bagages, son père s'est montré d'une humeur si sombre qu'elle en était effrayée. Elle se fait déjà tellement de soucis pour son frère ! Pour oublier son inquiétude, elle demande :

– Tu es souvent allé à Nalsara, papa ?

– J'habitais près de la cité, autrefois. J'avais une ferme, un troupeau… Mais, après nous être installés sur l'île avec ta mère, nous n'en sommes plus jamais repartis. Notre vie était là, dans l'île aux Dragons. Vous y êtes nés, ton frère et toi. Nous étions heureux. Et puis, il y a eu ce

soir tragique. Dhydra était allée sur la falaise, elle n'est pas revenue. Je l'ai crue morte, perdue à jamais…

— Elle n'est pas morte, papa. Elle est prisonnière des Addraks.

— Oui, c'est ce que tu m'as expliqué. Mais ce n'est qu'une supposition.

La petite fille explique :

— Un jour, mon miroir nous a montré une tour. C'était sûrement celle où maman est enfermée, quelque part au pays des Addraks. Moi, je crois que…

Elle hésite. Puis, à voix basse, elle lâche :

– Je crois que la strige l'a enlevée, comme elle a tenté d'enlever Cham, l'autre jour.

Son père acquiesce, songeur :

– Tu dois avoir raison. Je me souviens de cette étrange tempête, quand ta mère a disparu. Elle n'avait rien d'un phénomène naturel, j'en suis convaincu, à présent. C'était la strige…

Ils se taisent, partageant la même angoisse : quel est cet « événement d'importance » pour lequel on les fait venir au palais ? Les mots écrits sur le miroir disaient-ils vrai ? Cham serait-il pris ? Aurait-il été emporté par la strige ?

Une forteresse lugubre

Suivant Darkat, Cham s'engage dans un escalier en colimaçon.

Un peu de jour passe parfois par une meurtrière, éclairant les marches de pierre. À chaque fois, le garçon jette un coup d'œil au-dehors. Il aperçoit en contrebas des flots gris et houleux : la forteresse est bâtie sur une falaise rocheuse et domine la mer. Il se souvient alors que, depuis le cachot, il entendait les vagues déferler. Il est si habitué à ce bruit qu'il n'y a pas fait attention.

Au bout d'une descente qui lui paraît interminable, il franchit une porte et se retrouve dehors, aux côtés du jeune sorcier.

– Une fière bâtisse, n'est-ce pas ? déclare Darkat avec un grand geste du bras.

Cham regarde autour de lui. Des remparts entourent un bâtiment massif, dominé par un donjon carré. À chaque angle de la muraille se dresse une haute tour ronde.

Rassemblant son courage, le garçon demande :

– Pourquoi les murs sont-ils noirs ?

– Parce qu'on a taillé les pierres dans le cratère d'un volcan, répond le sorcier. Cette couleur est favorable à la magie.

Avec un petit rire satisfait, il précise :

– La magie noire, bien sûr. Elle imprègne tout, ici : les murs, la terre, l'air que tu respires… Et elle donne son nom à notre place forte. On l'appelle la Citadelle Noire.

Cham frissonne. Il émane de ces lieux une telle impression de puissance maléfique que le garçon se sent écrasé : on ne s'évade pas d'un endroit comme celui-là…

Darkat ne semble pas remarquer son malaise. D'un ton presque joyeux, il propose :

– Viens, mon neveu ! Il est temps de prendre un petit déjeuner.

– Et maman ?

– On va lui porter une collation. Ne t'inquiète pas, elle est bien soignée, ici.

– Sauf qu'elle est enfermée…

– Il ne tient qu'à elle d'être libérée, Cham. Et tu nous aideras à la convaincre. Tiens, avant le repas, je vais te montrer un lieu où seuls les sorciers ont le droit de pénétrer. Mais tu es un futur sorcier, n'est-ce pas ? Le sang addrak coule dans tes veines.

Cham s'apprête à protester. Puis il se souvient des mots de sa mère : « Je suis sûre qu'il y a beaucoup à découvrir dans cette imposante forteresse. » Elle l'a envoyé en mission. Il doit lui rapporter le plus d'informations possible. Dhydra, elle, saura les utiliser.

Il se contient donc et accompagne Darkat en silence.

Celui-ci l'entraîne à travers la cour, où un gravier couleur de suie crisse sous leurs pas. Arrivés devant le bâtiment central, ils franchissent un lourd portail, suivent un couloir éclairé par de curieuses torches : leur flamme ne tremble pas et n'émet aucune fumée.

« Magie noire… », devine Cham.

Darkat s'arrête devant une porte. Des dessins compliqués sont sculptés dans le bois. Cham reconnaît des reptiles entrelacés, des sortes de serpents. Il remarque aussi qu'il n'y a pas de serrure.

Darkat pose la main sur un motif de feuille, et il prononce à mi-voix un mot que le garçon ne saisit pas. Le battant s'ouvre.

Darkat pousse Cham devant lui. Tous deux pénètrent dans une grande pièce voûtée. À leur entrée, des chandelles de cire noire s'allument d'elles-mêmes dans les candélabres. Le garçon compte alors douze sièges de bois à hauts dossiers, disposés en cercle.

– Ici se réunit le Conseil des Sorciers, explique Darkat. J'en fais partie.

Il a prononcé la dernière phrase avec orgueil. Et Cham se dit qu'il va peut-être obtenir des renseignements intéressants. Il lâche d'un ton impressionné :

– Le Conseil des Sorciers !

– Oui. On y a parlé de toi, récemment. Sais-tu que tes talents de magicien intéressent beaucoup le Conseil ?

« Toi, pense le garçon, tu essaies de me flatter ! »

Pour en savoir davantage, il fait mine de s'y laisser prendre :

– Vous me croyez vraiment doué pour la magie ?

– Très doué ! De la magie blanche à la magie noire, il n'y a qu'un pas. Et la magie noire est un art fantastique ! Si tu te laisses instruire, nous…

Ça, pas question ! Cham interrompt ce beau discours avec colère :

– Je ne deviendrai jamais un sorcier addrak ! Jamais !

Darkat lève les mains en un geste d'apaisement :

– Tout doux, mon neveu! Attends de découvrir la puissance des Addraks. Tu changeras peut-être alors d'avis.

Cham se mord la lèvre. Il regrette d'avoir répondu aussi vertement, mais c'était plus fort que lui. À la réflexion, il se dit qu'il a bien fait. S'il se montrait trop facile à convaincre, Darkat aurait des soupçons.

Désignant les tapisseries qui recouvrent les murs, le garçon demande, en exagérant son air bougon:

– Et ces tentures? Qu'est-ce qu'elles représentent?

C'est sans doute une bonne question, car le sorcier répond avec empressement:

– Elles racontent l'histoire des sorciers addraks depuis qu'ils ont pris le pouvoir dans le pays, il y a trois siècles. Le plus puissant d'entre eux s'appelait Trigor. Ce Trigor…

Et Darkat se lance dans un long récit, dont Cham ne perd pas une miette. Il faut qu'il se souvienne de tout, pour le répéter à sa mère.

Un détail très intéressant

Dès leur arrivée à Nalsara, Antos et Nyne sont conduits au palais. Messire Onys les reçoit dans son bureau. Isendrine et Mélisande, les magiciennes, sont là, ainsi que Hadal.

À peine entrée, Nyne s'écrie :

– Hadal ! Où est Cham ? Qu'est-il arrivé à mon frère ?

Le jeune homme jette un coup d'œil embarrassé au Maître Dragonnier, et c'est ce dernier qui prend la parole. S'adressant à Antos, il avoue :

– J'ai de mauvaises nouvelles, Grand Éleveur. Malgré les sortilèges de protection, la strige s'est emparée de votre fils.

– Oh! gémit Nyne.

Elle le savait, bien sûr. Le message du miroir le lui avait appris. Néanmoins, elle gardait encore l'espoir d'avoir mal compris.

Antos est devenu tout pâle. D'une voix rauque, il demande :

– C'est pour nous annoncer ça que vous nous avez fait venir ici ?

– Vous ne seriez pas en sécurité sur l'île, explique messire Onys. Et nous allons avoir besoin de vous pour récupérer le garçon. Plus exactement de Nyne.

– De Nyne ? Comment ça ?

Sans répondre à la question, le Maître Dragonnier se tourne vers la petite fille :

– Tu as apporté ton miroir, je suppose ?

Elle fait oui de la tête, incapable de parler. Isendrine et Mélisande s'approchent d'elle :

– Nous devrons agir avec prudence, mais…

– … il y a peut-être un moyen.

– Lequel ? s'écrie Nyne.

– Ce sera difficile et…

– … extrêmement risqué, la préviennent les magiciennes.

À ces mots, Antos explose de colère :

– Mon fils est aux mains des Addraks. Je refuse qu'on mette aussi ma fille en danger ! Je suis là, moi ! Prêt à faire ce que vous voudrez. Mais, par pitié, laissez Nyne en dehors de ça !

Les magiciennes lèvent vers lui un visage désolé :

– Hélas, Grand Éleveur, vous êtes un homme courageux. Seulement, vous n'avez…

– … aucun don pour la magie. Contrairement à votre fille !

Pour sauver son frère, Nyne se sent capable de n'importe quoi. Elle prend la main de son père et lui assure :

– Ne t'inquiète pas, papa. Si Isendrine et Mélisande pensent que je suis assez forte, tout ira bien.

Revenant vers les magiciennes, elle demande :

– Expliquez-moi votre plan !

Les deux femmes échangent un long regard, puis elles déclarent :

– Il faut porter son miroir à ta mère. Il augmentera…

– … considérablement ses pouvoirs.

– Porter son miroir à…, balbutie Nyne, stupéfaite. Mais… comment ?

– Elle est certainement enfermée dans la Citadelle Noire, le repaire des sorciers addraks. Cette forteresse domine l'océan. Et nous savons…

–… que tu es amie avec un élusim, une créature marine.

La petite fille acquiesce aussitôt :

– Vag ! Il faut que Vag m'emmène là-bas !

Lorsque Cham retrouve sa mère dans le cachot, il a des quantités de choses à lui raconter. Curieusement, il s'écrie d'abord :

– Oh, maman, j'ai mangé des fruits délicieux !

– Vraiment, mon fils ?

Elle a parlé d'une voix douce, et le garçon ne remarque pas son léger froncement de sourcils.

– Oui ! De gros raisins jaunes, sucrés et croquants.

– Des ournes…

– Ah ? Ça s'appelle comme ça ? C'est très nourrissant, paraît-il, et…

Il s'interrompt soudain, comme étonné. Puis il reprend :

– Mais ce n'est pas ça que je voulais te dire. Darkat m'a emmené dans la salle où se réunit le Conseil des Sorciers. Les murs sont couverts de tapisseries qui représentent l'histoire des Addraks. La dernière est la plus intéressante. On y voit Eddhor en train de créer la strige : elle est faite d'un mélange de suie, de poudre de fer et de fumée, animé par de puissants sortilèges. Son esprit est relié à celui de son maître – et son maître, maintenant, c'est Darkat. J'ai appris aussi un détail curieux…

– Lequel, Cham ?

– Eddhor a d'abord fabriqué une sorte de pâte avec les trois ingrédients. Puis il l'a pétrie autour d'un diamant.

– Un diamant ? répète Dhydra, soudain captivée.

– Oui. Darkat dit que le diamant est la pierre qui accumule le mieux l'énergie de la magie noire. J'ai trouvé ça bizarre ; un diamant, c'est si lumineux !

– Le diamant, Cham, c'est du charbon extrêmement concentré.

– Oh ! Et le charbon, c'est noir…

Dhydra hoche la tête et murmure :

– Continue, Cham.

– Eh bien, ce diamant est toujours quelque part dans le corps de la strige. Alors, j'ai pensé que, si on pouvait le lui ôter, peut-être que ça la détruirait… ?

– Tu as bien pensé, mon fils, approuve Dhydra, songeuse.

Le garçon sourit, fier d'avoir rapporté un renseignement important. Puis il soupire :

– Seulement, comment s'y prendre ? Ça paraît impossible !

– Nous y réfléchirons, lui assure sa mère.

D'une voix grave, elle ajoute :

– Mais, si Darkat t'invite de nouveau à sa table, ne mange plus jamais d'ournes ! Ces fruits sont maléfiques ; ils t'empoisonneraient l'esprit.

Une écharpe magique

Après une vive discussion avec messire Onys, Antos finit par accepter que Nyne soit envoyée en mission. C'est sans doute le seul moyen de sauver Dhydra et Cham. Peut-être aussi l'unique chance d'empêcher une guerre contre les Addraks. Mais que cette décision lui coûte ! Jamais l'éleveur de dragons ne s'est senti aussi malheureux.

Voyant sa détresse, Isendrine et Mélisande l'accompagnent dans l'appartement où on l'a logé.

– Êtes-vous bien installé, Grand Éleveur ? Avez-vous…, commence l'une.

– … tout ce qu'il vous faut ? termine l'autre.

Antos examine la chambre. Le lit entouré de rideaux est recouvert d'un édredon de soie ; un lit plus petit a été dressé pour Nyne dans une alcôve. Un repas froid est disposé sur la table. Il y a même une bibliothèque chargée de livres.

Antos hoche la tête d'un air las :

– Tout est parfait, mesdames, je vous remercie.

En vérité, il n'a envie ni de dormir, ni de manger, ni de lire. Ce qu'il voudrait, c'est avoir sa fille près de lui, retrouver son fils, son épouse, être de retour sur l'île aux Dragons… Mais Nyne est restée dans le bureau du Maître Dragonnier pour préparer sa dangereuse expédition. Quant au reste, il peut seulement espérer qu'un jour, ce cauchemar prendra fin.

– Eh bien, nous vous laissons…

– … vous reposer !

Les magiciennes se retirent dans un froissement de robes. Antos n'a pas remarqué leur léger claquement de doigts lorsqu'elles sont passées près de la table.

L'éleveur de dragons se retrouve seul ; il ne sait trop que faire. Il s'aperçoit qu'il a terriblement soif. Sur la table, une carafe de cristal étincelle. Il se verse un verre d'eau qu'il avale à longues gorgées.

Presque aussitôt, il bâille. La nuit a été courte, et toutes ces émotions l'ont épuisé. Il se dit qu'il peut bien s'allonger un instant.

Dans le corridor, les magiciennes échangent un regard complice :

– Notre sortilège de sommeil agit déjà, il va dormir et…

– … des rêves heureux vont apaiser ses tourments !

Lorsque Isendrine et Mélisande retournent dans le bureau de messire Onys, elles trouvent Nyne penchée sur une carte.

– Vois-tu, jeune fille, explique le Maître Dragonnier, la Citadelle Noire est perchée en haut de cette falaise, sur la côte ouest du territoire des Addraks.

–Vous êtes déjà allé là-bas? questionne la petite fille.

–Moi? Non. Il y a quelques années, un de nos dragonniers a survolé l'endroit à dos de dragon. C'est lui qui a dessiné cette carte. Elle n'est pas très précise, car il a dû faire très vite, et de très haut, pour échapper à la surveillance des sorciers.

–Il y a quatre tours et un donjon, compte Nyne.

–En effet. Ta mère et ton frère sont sûrement dans l'une des tours. Mais laquelle?

–Je la reconnaîtrai.

–Comment cela? s'étonne le Maître Dragonnier.

–Je l'ai déjà vue. Le miroir de maman me l'a montrée, une fois.

–Tu sais, ces quatre tours doivent se ressembler…

Nyne secoue la tête et répète:

–Je la reconnaîtrai.

Les magiciennes se sont approchées:

–Tu vas d'abord manger et te reposer. Puis nous t'équiperons…

– … pour le voyage. Mieux vaut que tu arrives là-bas de nuit.

Posant sur la petite fille un regard grave, elles ajoutent :

– Quand tu auras atteint la tour, ce sera à toi de trouver…

– … le moyen de donner le miroir à ta mère.

– Je trouverai, leur assure Nyne.

Quelques heures plus tard, les deux femmes quittent le palais par une porte dérobée. Elles descendent un sentier qui mène au bord de la mer. Entre elles marche une petite silhouette. De loin, on dirait un jeune garçon. C'est Nyne, chaussée de bottes souples, vêtue d'une épaisse combinaison de cuir, la tête serrée dans un capuchon. Dans la poche intérieure de son habit est caché le précieux miroir.

Arrivées sur la plage, elles s'avancent toutes les trois jusqu'à l'endroit où les vagues viennent lécher le sable. Ont-elles crié quelque chose ? Messire Onys, qui les regarde du haut d'une fenêtre, n'entend que le piaillement des mouettes mêlé au bruit du vent. En tout cas, quelqu'un a entendu leur appel. Un remous se forme bientôt dans un creux de houle. Une tête apparaît, au bout d'un long cou souple, puis un large dos gris.

– Un élusim…, souffle le Maître Dragonnier.

Il connaissait l'existence de ces créatures, mais il n'en avait jamais vu.

L'élusim s'avance sur la plage, dégoulinant d'eau, et fixe sur Nyne ses yeux si bleus :

«Tu as besoin de moi, petite fille?»

– Vag! murmure Nyne. Il faut que tu m'emmènes chez les Addraks!

«C'est un long et dangereux voyage. Tu n'auras pas peur?»

Nyne caresse le doux museau tendu vers elle :

– Si, Vag, j'aurai peur. Il faut pourtant que j'y aille, pour aider maman et mon frère. Tu me protégeras, hein?

« Bien sûr, je te protégerai ! Viens ! Monte sur mon dos ! »

L'une des magiciennes tend à Nyne une longue écharpe de soie blanche :

– Noue cette étoffe au cou de l'élusim. Tu ne risqueras ni de glisser…

– … ni de tomber. Et, si tu la mets sur ta tête, tu deviendras invisible.

– C'est une écharpe magique ?

Isendrine et Mélisande ont un petit rire :

– On peut dire ça, jeune fille. Oui…

– … on peut dire ça.

Des fruits appétissants

Les magiciennes sont retournées dans le bureau du Maître Dragonnier.

– Ainsi, la fillette est partie, marmonne celui-ci. Êtes-vous sûres que nous ne commettons pas une terrible imprudence en l'envoyant ainsi ? Ce n'est qu'une enfant.

Isendrine et Mélisande lui adressent un sourire confiant :

– C'est la fille de Dhydra ; elle a hérité des dons de sa mère, et…

– … l'élusim la protège, ainsi que nos sortilèges.

Messire Onys secoue la tête, soucieux. S'il arrivait quoi que ce soit à Nyne, jamais il ne se le pardonnerait. Cependant, les magiciennes ont raison : avec son miroir, Dhydra sera beaucoup plus puissante. Cela suffira-t-il pour qu'ils s'échappent, elle et son fils, de la forteresse addrak ? Messire Onys en doute. Mais, pour l'instant, ils ne peuvent rien faire de plus.

– Et Antos ? demande-t-il.

– Le Grand Éleveur dort, messire. Et il dormira…

– … jusqu'au retour de sa fille.

– C'est bien, approuve le Maître Dragonnier.

« Si elle revient… », songe-t-il avec angoisse.

Dans leur cachot, Cham et Dhydra ne voient pas le temps passer. D'abord, le garçon doit répondre aux questions de sa mère, qui veut tout savoir de leur vie dans l'île. Cham raconte les extraordinaires événements survenus depuis l'éclosion des œufs de dragons. Puis il parle de leurs journées, des cultures, des soins à donner aux bêtes.

– Des vaches ? lâche Dhydra, amusée. Vous avez des vaches, à présent ?

– Oui, trois ! Et un veau ! Il est trop drôle ! On l'a appelé Caramel. Nyne a aussi un élevage de lapins angoras, un cadeau du roi Bertram.

– Nyne, ma petite fille, soupire Dhydra. Comme j'aimerais la retrouver ! Dire qu'elle a neuf ans, maintenant ! C'était un si joli bébé…

– Elle est toujours jolie, tu sais.

En pensant à sa sœur, Cham a le cœur serré. Elle doit s'inquiéter terriblement !

Sa mère a perçu sa tristesse. Elle change aussitôt de sujet :

– Assez bavardé, Cham ! Au travail ! Reprenons ta formation de magicien. Ce qui est arrivé ce matin avec Darkat ne doit pas se reproduire ; je vais t'apprendre comment analyser ta nourriture. Certains fruits fort appétissants, comme les ournes, sont maléfiques. Certains légumes aussi. Ils empoisonnent l'âme et l'esprit. Leur consommation transforme peu à peu les êtres humains ordinaires en sortes de spectres, sans mémoire ni sentiments. Toi qui as des dons de magicien, cela t'entraînerait vers la magie noire.

– Et je deviendrais comme les sorciers addraks ?

À cette idée, le garçon frémit d'effroi.

– Oui. Mais cela ne se produira pas.

Dhydra prend dans une corbeille deux fruits qu'elle a gardés de son petit déjeuner :

– Regarde ! On dirait des pommes, n'est-
ce pas ?

Le garçon acquiesce.

– Celle-ci est une pomme, en effet. Et
celle-là, c'est une charne, une vraie saleté,
quoique délicieuse !

– Comment les différencier ? s'écrie
Cham. Elles sont exactement pareilles !

– Tu fais le vide et le silence en toi ; tu
interroges le fruit avec ton œil intérieur. Et
le fruit te répond. Essaie !

Son œil intérieur ? Perplexe, le garçon
fixe la chose que sa mère a appelée une

charne. Il respire lentement, comme les magiciennes lui ont appris à le faire. Mais, au lieu de chercher dans sa tête un mot magique, il chasse toute image et toute pensée de son esprit. Au bout d'un moment, il ressent la curieuse impression de pénétrer dans la chair du fruit. Et, soudain, il voit ! La charne lui « répond » en révélant sa véritable apparence : sa peau lisse et jaune se fripe, noircit, se craquelle ; une vapeur verdâtre s'en échappe.

Cham se rejette en arrière avec une exclamation de dégoût :

– Quelle horreur !

La vision a disparu ; la charne ressemble de nouveau à une belle pomme bien mûre.

– Excellent, Cham ! approuve sa mère. Tu as réussi en moins de quatre minutes.

– Mais, maman, c'est terrible ! Si Darkat m'invite encore à déjeuner, je ne pourrai pas fixer chaque fruit et chaque légume pendant quatre minutes avant de mordre dedans ! Il se doutera de quelque chose.

– C'est pourquoi il faut t'entraîner, mon

fils. Jusqu'à y parvenir en deux ou trois
secondes ! Sinon, tu seras en danger.

À voix basse, elle ajoute :

– Et moi aussi…

L'océan roule sa profonde houle grise.
Assise au creux du dos de l'élusim, Nyne ne
lâche pas l'écharpe qu'elle lui a nouée
autour du cou. Au début de leur étrange
voyage, la petite fille a eu très peur. Elle se
sent plus calme, à présent. Et Vag, pour la
rassurer, ne cesse de lui parler :

« Vois comme la mer est belle, quand elle
se confond ainsi avec le ciel ! Elle est dangereuse, parfois, c'est vrai. Mais c'est le territoire des élusims, et tu es l'amie des
élusims, petite fille ! Tu n'as rien à craindre
de la mer ! »

Les heures passent, le jour baisse. À l'approche du crépuscule, les nuages s'écartent,
et l'énorme disque rouge du soleil sombre
lentement à l'horizon. Puis, d'un coup, c'est
la nuit.

« Nous approchons », dit l'élusim.

Quelques instants plus tard, tous deux voient se découper, au sommet d'une haute falaise, la silhouette d'une puissante forteresse.

—La Citadelle Noire, lâche Nyne, saisie d'angoisse.

8

Clair de lune

Un épais rempart domine l'océan. Une tour s'élève à chaque angle. Nyne se souvient du plan qu'elle a vu dans le bureau du Maître Dragonnier : la forteresse est bâtie en carré autour d'un donjon massif. La lune, encore basse dans le ciel, en dessine vaguement les contours.

– Donc, il y a deux autres tours derrière, dit la petite fille. Quand le miroir nous a montré celle où maman est enfermée, ça n'a duré qu'un bref instant, mais...

Un détail est resté fixé dans sa mémoire.

Lequel? Elle se concentre; il faut absolument qu'elle se rappelle!

«Sur le reflet du miroir, as-tu vu bouger quelque chose, petite fille?» intervient l'élusim.

−Oui! s'exclame-t-elle. Je me souviens de taches blanches, qui s'éparpillaient à la base de la tour, comme… des morceaux d'écume!

«Des vagues s'écrasant sur les rochers, peut-être?»

−Sûrement! C'est donc une de ces deux tours, juste au-dessus de la mer!

Cette nuit, l'océan est calme. L'élusim s'est rapproché du pied de la falaise, encombré par un éboulis de rochers. Il ajoute:

«Ces deux tours ne sont pas tout à fait identiques. Observe bien!»

Nyne plisse les yeux, comparant chaque pierre, chaque meurtrière. Soudain, elle tend le doigt:

−Là! Les gargouilles, au sommet! Elles ne sont pas pareilles! À gauche, on dirait des têtes de poissons-chats; et à droite…

« À droite, ce sont des têtes de boucs. »

La petite fille en frissonne d'excitation :

– C'est la tour de droite, Vag, j'en suis sûre ! J'avais remarqué une drôle d'ombre sur les pierres, une forme avec des cornes !

Seulement, si sa mère est dans cette tour, comment lui faire parvenir le miroir ? À quelle hauteur est le cachot ?

Nyne fixe l'énorme construction de pierres noires. Aucune lumière ne filtre par les meurtrières. La petite fille a soudain l'impression d'être venue là pour rien.

Sentant son découragement, l'élusim reprend :

« Regarde mieux. Sous l'une des têtes de bouc, il y a une ouverture un peu plus grande que les autres, avec des barreaux de fer. Certainement la fenêtre d'un cachot ! »

– Tu as raison ! s'exclame Nyne.

Puis elle soupire :

– Me voilà bien avancée. Je ne vais tout de même pas escalader le mur !

« Il faut réfléchir, Nyne, murmure l'élusim. Réfléchir… »

– Réfléchir ? répète-t-elle, un peu agacée. C'est ce que je fais, figure-toi !

C'est aussi ce qu'a fait le miroir quand, avec son frère, elle a déchiffré les caractères à l'envers du *Livre des Secrets*. Le miroir…

La petite fille lève la tête. La lune dérive lentement entre les nuages. Sa lumière pâle se reflète sur l'eau. La lune et le miroir…

– Je sais !

Nyne prend au fond de sa poche le sachet de velours qui protège le précieux objet. L'instant d'après, le miroir est dans sa main. En l'orientant obliquement, elle capte un rayon de lune qui se *réfléchit* sur le verre, et elle le projette vers l'étroite fenêtre. Elle recommence, encore et encore.

Un trait de lumière traverse le cachot. Dhydra, qui ne dormait pas, le regarde se promener sur la voûte de pierre. Ce n'est pas un rayon de lune ordinaire…

– Mon miroir…, souffle-t-elle.

Une forme claire s'est faufilée entre les barreaux de la fenêtre. Elle déploie ses ailes et décolle, silencieuse.

– Oh! fait Nyne. La chouette blanche!

L'oiseau plane un instant au-dessus de l'élusim. Puis il descend et vient se poser sur le poing tendu de la petite fille.

– Je te reconnais, murmure celle-ci. Tu es venue dans l'île, tu es l'amie de maman. S'il te plaît, rapporte-lui son miroir! Il augmentera ses pouvoirs. Il l'aidera peut-être à se libérer.

« Hou, hou! » ulule la chouette.

Nyne pose ses lèvres sur les plumes tièdes:

– Porte aussi ce baiser à maman…

Battant des paupières pour chasser les larmes qui lui brouillent les yeux, elle ajoute:

– Et un autre baiser à mon frère, s'il est avec elle. Dis-lui qu'il me manque, que je pense très fort à lui, que je voudrais qu'il revienne, que…

Elle s'interrompt et soupire:

– Mais tu es une chouette, tu ne sais pas parler… Tiens, prends le miroir !

« Hou, hou ! » fait encore l'oiseau.

De son bec, il effleure la joue de la fillette. Il saisit le miroir dans ses serres. En quelques coups d'ailes, il vole jusqu'à la fenêtre et rentre dans la tour.

Nyne l'accompagne du regard jusqu'à ce qu'il ait disparu. Puis elle murmure :

– On a réussi notre mission, Vag. Ramène-moi, maintenant.

La voix effrayée de l'élusim la fait alors sursauter :

« Nous sommes en danger, Nyne ! Il faut que je plonge et que tu te rendes invisible ! Je vais te déposer sur un rocher, vite ! Restes-y jusqu'à ce que je revienne te chercher ! »

– Mais… pourquoi ? balbutie la petite fille.

« La strige ! Je la sens, elle vient… »

Vag s'approche du rivage. Nyne prend pied sur un rocher glissant, s'assied dans un creux.

Et, comme les magiciennes le lui ont expliqué, elle se couvre la tête avec l'écharpe blanche.

«Attends-moi là! Ne bouge surtout pas tant que le monstre ne s'est pas éloigné», recommande l'élusim.

Il plonge et s'enfonce dans les profondeurs marines. Nyne se retrouve seule, au pied de la Citadelle Noire. Le cœur battant, elle tend une main devant elle, agite les doigts. Elle ne voit rien! Elle est invisible!

Il était temps! Une nuée sinistre passe devant la lune en ondulant.

C'est la strige.

La chanson des dragons

Au moment où le premier rayon de lune renvoyé par le miroir pénétrait dans le cachot, la strige s'est agitée dans sa caverne : des ondes de magie circulaient autour de la citadelle. Pas de la magie noire, de la magie blanche.

Alors que Nyne s'assied sur le rocher, le monstre envoie à son maître un appel mental.

Darkat, brusquement tiré de son sommeil, se lève d'un bond : il se passe quelque chose d'anormal.

Le jeune sorcier dévale le sentier menant au repaire de la créature. Celle-ci a déjà pris l'aspect d'un dragon de fumée aux ailes déployées. Sautant sur son dos, Darkat la lance au-dessus de la mer.

Rien. Il ne voit rien. Seule la lune dessine une allée de lumière mouvante à la surface de l'eau. Sur l'ordre de son maître, la strige s'élève jusqu'en haut de la tour aux têtes de boucs. Le visage de Darkat s'encadre entre les barreaux de la fenêtre. Son regard plonge dans le cachot. Les deux prisonniers sont couchés, ils semblent dormir…

La strige replonge vers la mer. Elle survole des rochers, au bas de la falaise, fait demi-tour et recommence.

– Tu as senti une présence, c'est ça? l'interroge le sorcier, anxieux. Regarde! Regarde mieux!

Par les yeux de sa créature, il scrute lui aussi chaque trou de la roche. Rien, toujours rien.

Pourtant, la strige ne se trompe jamais…

– Un sort d'invisibilité, peut-être? grommelle Darkat.

Il lance une formule entre ses dents. Un bref instant, il lui semble distinguer un reflet dans l'eau : la silhouette d'une fillette assise sur un rocher.

– Nyne ? Comment la gamine serait-elle arrivée ici ? Non, c'est impossible…

Il recommence. Cette fois, aucune image n'apparaît. Le jeune sorcier ordonne à son étrange monture de retourner dans sa caverne :

– Va, ma belle ! Ce n'était sans doute qu'un signe : les magiciennes de Nalsara préparent une riposte. Mais elles ne sont pas de taille contre la magie noire des Addraks ! Va ! Nous avons le garçon et sa mère ; bientôt, ma chère sœur devra céder et nous amener des dragons. Bientôt, les armées addraks déferleront sur Ombrune, et ce beau royaume sera à nous !

La strige obéit à contrecœur. Elle sait, elle, que la magie blanche a été plus forte que la magie noire. Et elle n'aime pas ça.

Immobile sur son rocher humide, Nyne a vu passer et repasser l'ombre effrayante de la strige, elle a senti sur elle le souffle glacé des ailes de fumée. À chaque seconde, elle a cru être découverte.

Maintenant que l'affreuse créature s'est enfin éloignée, la petite fille n'ose toujours pas faire un mouvement. Les doigts crispés, elle tient à deux mains les pans de l'écharpe magique qui lui couvre la tête. Il faut que Vag l'appelle plusieurs fois avant qu'elle se décide à bouger.

«La strige est partie, Nyne. Viens! Je te ramène à Nalsara. Tu as réussi ta mission.»

La fillette sur son dos, l'élusim prend le chemin du retour. S'ils regardaient derrière eux, ils apercevraient peut-être, en haut de la tour, un visage à la peau très blanche appuyé aux barreaux d'une étroite fenêtre.

— Ma petite Nyne, murmure Dhydra en serrant dans sa main son précieux miroir. Comme tu es belle et courageuse! Heureusement que j'ai renforcé le sortilège d'invisibilité, sinon la strige t'aurait découverte. À présent, grâce à toi, j'ai peut-être le moyen de détruire ce monstre…

La jeune femme retourne dans l'ombre du cachot. L'air songeur, elle regarde Cham dormir. Cham qui a mangé des ournes. Cham qui a circulé dans la Citadelle Noire en compagnie de Darkat, qui a pénétré dans la salle où les sorciers addraks tiennent conseil, ces lieux chargés de magie noire. Et Dhydra prend une décision qui l'attriste, mais qui lui semble sage : elle ne parlera pas à son fils de la venue de Nyne, elle ne lui dira pas qu'elle a récupéré son miroir. Le garçon est fort. Mais l'est-il assez pour résister aux Addraks ? Car ceux-ci vont tout faire pour le séduire, pour l'attirer de leur côté. Cham résistera sans doute ; toutefois, mieux vaut être prudente.

Comme s'il avait senti peser sur lui le regard de sa mère, le garçon ouvre les yeux. Voyant Dhydra debout dans le noir, il se redresse, inquiet :

– Maman ? Quelque chose ne va pas ?

Dhydra vient se pencher sur lui. D'un geste tendre, elle le force à se recoucher :

– Tout va bien, mon fils. Il m'arrive de

réfléchir, aux heures silencieuses de la nuit. Tout va bien, dors !

Cham se tourne sur le côté, cherche une position confortable. Puis il demande :

—Maman, tu te souviens de cette berceuse que tu me chantais quand j'étais petit, celle dont on s'est servis, Nyne et moi, pour renvoyer la Bête des Profondeurs au fond de la mer ? Tu veux bien la chanter pour moi ?

Dhydra hoche la tête en souriant et se met à fredonner :

– *Néoc varna slimane, karug er nos dûrim,*
Sorna lami, mnelek, sorok vanyl !

D'une voix ensommeillée, le garçon demande encore :

– Qu'est-ce que ça veut dire, maman ?

– C'est une très ancienne chanson de dragons, mon fils. Cela signifie à peu près : *Que te berce la mer, enfant de notre amour, et que jamais ne coulent, amères, les larmes du chagrin !*

Mais Cham n'entend pas la traduction, il s'est déjà rendormi.

Retrouve vite Cham et Nyne
dans la suite des aventures de

Tome 10
Aux mains des sorciers

À la fin de la matinée, alors que Cham s'applique à mémoriser de nouveaux mots magiques, Darkat pénètre dans le cachot. Dhydra a un sursaut de surprise : trop occupée à enseigner à son fils l'art de la magie, elle n'a pas entendu le jeune sorcier approcher.

Darkat s'adresse au garçon avec un sourire aimable :

— Si ma sœur le permet, mon neveu, je souhaite t'emmener visiter de nouveau notre citadelle. Hier, tu n'en as découvert qu'une toute petite partie.

Cham interroge sa mère du regard, anxieux. Et si Darkat l'emmène ensuite partager son repas ? Cette perspective l'emplit d'effroi. Le sorcier tentera sûrement de lui faire encore goûter des aliments dangereux. Ce matin, le garçon s'est entraîné à utiliser son «œil intérieur». Cette fois, il ne lui a fallu qu'une cinquantaine de secondes pour détecter une prune maléfique, une cytrisse.

«Bravo, Cham! l'a félicité sa mère. Tu es très doué. Tu as fait en moins d'une journée plus de progrès que la plupart des magiciens débutants en un mois!»

Malgré tout, il est encore trop lent. S'il prétend qu'il n'a pas faim, s'il reste en arrêt devant chaque fruit ou légume que Darkat lui offrira avant de le porter à sa bouche, ce dernier comprendra qu'il se méfie.

Cependant, Dhydra encourage son fils à suivre le jeune sorcier:

– Va! Ce sera beaucoup plus *intéressant* que de rester enfermé dans ce cachot obscur.

– Oh, ma sœur, se récrie aussitôt Darkat. Nous serions heureux de t'en faire sortir, tu

le sais. Si tu acceptais d'aider les Addraks
– ta famille – en appelant des dragons…

Dhydra lui jette un coup d'œil si noir
qu'il n'ose pas achever sa phrase. Cham est
rempli d'admiration : que sa mère est forte et
fière ! Il doit se montrer digne d'elle ! Car il
a perçu comment elle insistait sur le mot
intéressant : pour la deuxième fois, elle l'envoie en mission d'exploration.

D'un ton faussement résigné, il demande :

– Que voulez-vous me montrer, aujour-
d'hui, *mon oncle* ?

En s'entendant appeler ainsi, Darkat a un
petit rire satisfait. Et Cham se dit que ce
sorcier si puissant est parfois bien facile à
tromper.

Ce jour-là, Darkat fait visiter à Cham les
écuries de la citadelle. Elles sont immenses
et abritent plusieurs centaines de chevaux.
Des destriers noirs aux yeux de braise, au
poil luisant, qui frappent nerveusement le

sol de leurs sabots. Darkat emmène ensuite son neveu à l'armurerie. Les alignements de casques, de cottes de mailles, d'arcs, d'épées, de lances et de masses d'arme, tous forgés dans un métal aux reflets de nuit, impressionnent le garçon.

« Il veut me montrer la force des Addraks, songe-t-il. S'ils possédaient des dragons, c'est sûr, ils seraient invincibles ! »

Cham voit aussi, dans les écuries comme à l'armurerie, de nombreux valets vêtus de noir. Ils travaillent avec des gestes fébriles, la tête baissée. Tous évitent de croiser le regard du sorcier. Certains jettent un rapide coup d'œil au garçon inconnu. Ce que Cham lit alors au fond de leurs yeux, c'est de la crainte.

« Ces hommes ne servent pas les sorciers addraks de leur plein gré, devine-t-il. Ils y sont obligés… »

Après quoi, Darkat déclare d'un ton grave :

—Maintenant, je vais te conduire auprès de ton grand-père.

Cham en reste muet. Son grand-père ? Mais… il est mort ! Eddhor, le sorcier, le père de Darkat et de Dhydra, n'a-t-il pas été tué par la strige, le monstre qu'il a créé ?

Les jambes tremblantes, le cœur battant, le garçon suit son guide dans un escalier en spirale qui s'enfonce dans les profondeurs de la citadelle. La descente lui paraît interminable. Enfin, Darkat pousse une lourde porte, et tous deux pénètrent dans une crypte voûtée. À leur entrée, des dizaines de chandelles noires s'allument d'elles-mêmes dans de hauts candélabres. Ils sont dans un tombeau.

Au centre de la crypte trône un sarcophage de marbre noir. Sur le dessus, une statue représente un homme allongé. Elle est sculptée avec tant de finesse que le gisant paraît simplement endormi. La lumière des chandelles donne à ses traits immobiles quelque chose de vivant. Cham s'approche. Puis il s'arrête, troublé : cet homme – son grand-père – est *beau* ! C'est une beauté dure et terrible. Mais le garçon se rappelle le récit de Viriana. Et il comprend que Solveig, sa grand-mère, soit tombée amoureuse du mystérieux cavalier soi-disant venu des Montagnes du Nord.

La voix de Darkat s'élève, solennelle :

– Regarde ton grand-père, Cham ! Regarde-le bien ! Vois comme il est noble et fier ! Ne veux-tu pas te montrer digne d'un tel ancêtre ?

Le garçon frémit. Il voudrait haïr ce visage de pierre, et il est fasciné. Il voudrait s'enfuir, et il se sent pétrifié. Il s'approche encore. Il ne l'a pas décidé, ce sont ses jambes qui l'ont forcé à avancer. Il découvre dans les mains jointes du gisant une longue épée d'acier aux reflets couleur de sang, dont le pommeau représente un dragon enroulé sur lui-même. Cham l'observe, intrigué : au milieu du pommeau, entre les pattes du dragon, il y a un trou rond et vide.

—Oui, reprend Darkat d'une voix sourde, il manque quelque chose à cet endroit : un diamant.

—Un diamant ?

—Un diamant énorme, d'une pureté parfaite, capable de contenir les plus puissants des sortilèges. Eddhor l'a ôté de sa formidable épée pour concevoir une arme plus redoutable encore.

—La strige…, souffle Cham.

—La strige, répète Darkat.

Et le nom maudit résonne longuement sous la voûte obscure.